Und das schönste Fest ist da

Und das schönste Fest ist da

Weihnachtliche Gedichte

Zusammengestellt von
Stephan Koranyi

RECLAM
LEIPZIG

Draußen ziehen weiße Flocken

MASCHA KALÉKO

Advent

Der Frost haucht zarte Häkelspitzen
perlmuttergrau ans Scheibenglas.
Da blühn bis an die Fensterritzen
Eisblumen, Sterne, Farn und Gras.

Kristalle schaukeln von den Bäumen,
die letzten Vögel sind entflohn.
Leis fällt der Schnee ... In unsern Träumen
weihnachtet es seit gestern schon.

Christian Morgenstern

Die drei Spatzen

In einem leeren Haselstrauch
da sitzen drei Spatzen, Bauch an Bauch.

Der Erich rechts und links der Franz
und mitten drin der freche Hans.

Sie haben die Augen zu, ganz zu,
und obendrüber da schneit es, hu!

Sie rücken zusammen dicht an dicht.
So warm wie der Hans hat's niemand nicht.

Sie hör'n alle drei ihrer Herzlein Gepoch.
Und wenn sie nicht weg sind, so sitzen sie noch.

FRIEDRICH HÖLDERLIN

Der Winter

Das Feld ist kahl, auf ferner Höhe glänzet
Der blaue Himmel nur, und wie die Pfade gehen,
Erscheinet die Natur, als Einerlei, das Wehen
Ist frisch, und die Natur von Helle nur umkränzet.

Der Erde Stund ist sichtbar von dem Himmel
Den ganzen Tag, in heller Nacht umgeben,
Wenn hoch erscheint von Sternen das Gewimmel,
Und geistiger das weit gedehnte Leben.

Matthias Claudius

Ein Lied hinterm Ofen zu singen

Der Winter ist ein rechter Mann,
Kernfest und auf die Dauer;
Sein Fleisch fühlt sich wie Eisen an,
Und scheut nicht Süß noch Sauer.

War je ein Mann gesund, ist er's;
Er krankt und kränkelt nimmer,
Weiß nichts von Nachtschweiß noch Vapeurs,
Und schläft im kalten Zimmer.

Er zieht sein Hemd im Freien an,
Und läßt's vorher nicht wärmen;
Und spottet über Fluß im Zahn
Und Kolik in Gedärmen.

Aus Blumen und aus Vogelsang
Weiß er sich nichts zu machen,
Haßt warmen Drang und warmen Klang
Und alle warme Sachen.

Doch wenn die Füchse bellen sehr,
Wenn's Holz im Ofen knittert,
Und um den Ofen Knecht und Herr
Die Hände reibt und zittert;

Wenn Stein und Bein vor Frost zerbricht
   Und Teich' und Seen krachen;
Das klingt ihm gut, das haßt er nicht,
   Denn will er sich tot lachen. –

Sein Schloß von Eis liegt ganz hinaus
   Beim Nordpol an dem Strande;
Doch hat er auch ein Sommerhaus
   Im lieben Schweizerlande.

Da ist er denn bald dort bald hier,
   Gut Regiment zu führen.
Und wenn er durchzieht, stehen wir
   Und sehn ihn an und frieren.

August Heinrich Hoffmann
von Fallersleben

Der Schneemann

Seht, da steht er, unser Schneemann!
Das ist ein Geselle!
Stehet fest und unverzaget,
Weicht nicht von der Stelle.

Schaut ihm in die schwarzen Augen!
Wird euch denn nicht bange?
In der linken Hand da hat er
Eine lange Stange.

Einen großen Säbel hält er
Fest in seiner Rechten.
Kommt heran! er wird sich wehren,
Wird mit allen fechten.

Über ihn kann nur der Frühling
Einen Sieg gewinnen:
Blickt ihn *der* nur an von ferne,
Wird er gleich zerrinnen.

Aber halt dich tapfer, Schneemann!
Laß dir offenbaren:
Stehst du morgen noch, so wollen
Wir dich schlittenfahren.

ELISABETH BORCHERS

Märchen

Auf der Suche
nach etwas Schönem wie Schnee
ging ich leer aus
bis es des Wegs zu schneien begann

H. C. Artmann

wenn im öflein s feuer kracht,
winter durch das fenster lacht,
wenn die flocken lustig toben,
sollst den lieben werwolf loben.

fröhlich streunt er durch das feld,
fühlt den frieden dieser welt,
sträubt sein fellchen voller wonne,
frank und frei von aller sonne.

liebe kinder, nichts wie raus!
hurtig aus dem vaterhaus,
nehmt vom süßen weihnachtskuchen,
geht mit ihm den werwolf suchen.

GEORG TRAKL

Ein Winterabend

Wenn der Schnee ans Fenster fällt,
Lang die Abendglocke läutet,
Vielen ist der Tisch bereitet
Und das Haus ist wohlbestellt.

Mancher auf der Wanderschaft
Kommt ans Tor auf dunklen Pfaden.
Golden blüht der Baum der Gnaden
Aus der Erde kühlem Saft.

Wanderer tritt still herein;
Schmerz versteinerte die Schwelle.
Da erglänzt in reiner Helle
Auf dem Tische Brot und Wein.

Theodor Fontane

Noch ist Herbst nicht ganz entflohn

Noch ist Herbst nicht ganz entflohn,
Aber als Knecht Ruprecht schon
Kommt der Winter hergeschritten,
Und alsbald aus Schnee'es Mitten
Klingt des Schlittenglöckleins Ton.

Und was jüngst noch, fern und nah,
Bunt auf uns herniedersah,
Weiß sind Türme, Dächer, Zweige,
Und das Jahr geht auf die Neige,
Und das schönste Fest ist da.

Tag du der Geburt des Herrn,
Heute bist du uns noch fern,
Aber Tannen, Engel, Fahnen
Lassen uns den Tag schon ahnen,
Und wir sehen schon den Stern.

Joachim Ringelnatz

Vorfreude auf Weihnachten

Ein Kind – von einem Schiefertafel-Schwämmchen
Umhüpft – rennt froh durch mein Gemüt.

Bald ist es Weihnacht! – Wenn der Christbaum blüht,
Dann blüht er Flämmchen.
Und Flämmchen heizen. Und die Wärme stimmt
Uns mild. – Es werden Lieder, Düfte fächeln. –

Wer nicht mehr Flämmchen hat, wem nur noch
    Fünkchen glimmt,
Wird dann noch gütig lächeln.

Wenn wir im Traume eines ewigen Traumes
Alle unfeindlich sind – einmal im Jahr! –
Uns alle Kinder fühlen eines Baumes.

Wie es sein soll, wie's allen einmal war.

Jochen Arlt

Vierter Advent

Froststarre
Hauchwölkchen

Spaziergang im weiß bereiften
Phlegma der Feldwege

Hasenspuren

Auf dem Rückweg
riechts Unter- und Oberdorf
wie eine Weihnachtsbäckerei

Kindliche Vorfreude
Beinahe-Unschuld

Als gäbe es
momentan
nichts anderes
auf der Welt

Heinrich Heine

Draußen ziehen weiße Flocken
Durch die Nacht, der Sturm ist laut;
Hier im Stübchen ist es trocken,
Warm und einsam stillvertraut.

Sinnend sitz ich auf dem Sessel,
An dem knisternden Kamin,
Kochend summt der Wasserkessel
Längstverklungne Melodien.

Und ein Kätzchen sitzt darneben,
Wärmt die Pfötchen an der Glut;
Und die Flammen schweben, weben,
Wundersam wird mir zumut.

Dämmernd kommt heraufgestiegen
Manche längstvergessne Zeit,
Wie mit bunten Maskenzügen,
Und verblichner Herrlichkeit.

Schöne Frauen lächeln freundlich,
Winken süßgeheimnisvoll,
Und dazwischen springen feindlich
Harlekine, lustigtoll.

Ferne grüßen Marmorgötter,
Traumhaft neben ihnen stehn
Märchenblumen, deren Blätter
In dem Mondenlichte wehn.

Wackelnd kommt herbeigeschwommen
Manches alte Zauberschloß;
Hintendrein geritten kommen
Blanke Ritter, Knappentroß.

Und das alles zieht vorüber,
Schattenhastig, übereilt –
Ach! da kocht der Kessel über,
Und das nasse Kätzchen heult.

Ein Wunder ist geschehen

Ludwig Tieck

Weihnachten

Wenn herüber zu meinem Garten
Die alten Lieder tönen,
Der Pfeifer, die aus dem Gebirge kommend
Jeglich Marienbild mit Weisen grüßen,
So dünk ich mich in seltsame, ferne
Wunderzeiten entrückt,
Und alte Legenden, und himmlische Sehnsucht,
Zarte Lieb und große Erinnerung
Quellen aus den rauhen, einfachen Tönen.
Tiefer, und inniger
Spricht der Frömmigkeit Wort
Die wunderliche Melodie,
Als in den Kirchen
Der neuen Künstler Wirrwarr,
Die alle Töne keck aufbieten
Um zu heucheln und zu grimassieren,
Und mit weltlichem Prunk
Das Heilige höhnen.

Heidi Koch

Die Nacht

Wie der Schnee fällt
in dieser Nacht,
als wollte das Wasser
die Erde tränken,
nicht ohne zuvor in anderer Form
den Himmel zu füllen
mit zärtlichen Tänzen.

Wie die Sterne funkeln
in dieser Nacht,
als wollte ihr Licht
mit dem Blau sich verweben,
ein Muster dem Mantel,
dem Zelt zu geben.

Wie die Luft schwirrt
in dieser Nacht,
als wollte sie singen,
als wollte sie tragen
hinaus in die Welt
mit Schwingen
das Wort.

Ludwig Thoma

Heilige Nacht

So ward der Herr Jesus geboren
Im Stall bei der kalten Nacht.
Die Armen, die haben gefroren,
Den Reichen war's warm gemacht.

Sein Vater ist Schreiner gewesen,
Die Mutter war eine Magd.
Sie haben kein Geld nicht besessen,
Sie haben sich wohl geplagt.

Kein Wirt hat ins Haus sie genommen;
Sie waren von Herzen froh,
Daß sie noch in Stall sind gekommen.
Sie legten das Kind auf Stroh.

Die Engel, die haben gesungen,
Daß wohl ein Wunder geschehn.
Da kamen die Hirten gesprungen
Und haben es angesehn.

Die Hirten, die will es erbarmen,
Wie elend das Kindlein sei.
Es ist eine G'schicht' für die Armen,
Kein Reicher war nicht dabei.

FRIEDRICH SPEE

Ein kurtzes Poëtisch Christgesang, vom Ochs, vnd Eselein bey der Krippen

1.

Der Wind auff Lären Strassen
Streckt auß die Flügel sein:
Streicht hinn gar scharpff ohn maassen,
Zur Bethlems Krippen ein.
Er brummlet hin, vnd wider
Der Fliegend WinterBott,
Greifft an die Gleich, vnd Glider
Dem frisch Vermenschten Gott.

2.

Ach, ach, laß ab von brausen,
Laß ab, du schnöder Wind:
Laß ab von kaltem sausen,
Vnd schön dem schönen Kind.
Vilmehr du deine Schwingen
Zerschlag im wilden Meer,
Aldà dich satt magst ringen,
Kehr nur nitt wider her.

3.

Mitt dir nun muß ich kosen,
   Mitt dir, o Joseph mein,
Das Futter misch mitt Rosen
   Dem Ochs, vnd Eselein.
Mach deinen frommen Thieren
   So lieblichs mischgemüß,
Bald, bald, ohn zeit verlieren,
   Mach ihnn den Athem süß.

4.

Drauff blaset her, ihr beyden,
   Mit süssem Rosen Wind;
Ochs, Esel wol bescheiden,
   Vnd warmets nacket Kind.
Ach blaset her, vnd hauchet,
   Aha, aha, aha.
Fort, fort, euch waidlich brauchet
   Ahà, ahà, ahà.

Eduard Mörike

Die heilige Nacht

Gesegnet sei die heilige Nacht,
Die uns das Licht der Welt gebracht! –

Wohl unterm lieben Himmelszelt
Die Hirten lagen auf dem Feld.

Ein Engel Gottes, licht und klar,
Mit seinem Gruß tritt auf sie dar.

Vor Angst sie decken ihr Angesicht,
Da spricht der Engel: »Fürcht't euch nicht!

Ich verkünd euch große Freud:
Der Heiland ist euch geboren heut.«

Da gehn die Hirten hin in Eil,
Zu schaun mit Augen das ewig Heil;

Zu singen dem süßen Gast Willkomm,
Zu bringen ihm ein Lämmlein fromm. –

Bald kommen auch gezogen fern
Die heilgen drei König' mit ihrem Stern.

Sie knieen vor dem Kindlein hold,
Schenken ihm Myrrhen, Weihrauch, Gold.

Vom Himmel hoch der Engel Heer
Frohlocket: »Gott in der Höh sei Ehr!«

Franz Hohler

Weihnachten – wie es wirklich war

War es so?
Maria kam gelaufen
Josef kam geritten
Das Jesuskindlein war glücklich
Der Ochse erglänzte
Der Esel jubelte
Der Stern schnaufte
Die himmlischen Heerscharen lagen in der Krippe
Die Hirten wackelten mit den Ohren
Die Heiligen Drei Könige beteten
Alle standen daneben

Oder so?
Maria lag in der Krippe
Josef erglänzte
Der Ochse war glücklich
Der Esel stand daneben
Der Stern jubelte
Die himmlischen Heerscharen kamen geritten
Die Hirten schnauften
Die Heiligen Drei Könige wackelten mit den Ohren
Alle beteten

Oder so?
Maria schnaufte
Josef betete
Das Jesuskindlein stand daneben
Der Ochse kam gelaufen
Der Esel kam geritten
Der Stern lag in der Krippe
Die himmlischen Heerscharen wackelten mit den Ohren
Die Hirten erglänzten
Die Heiligen Drei Könige waren glücklich
Alle jubelten

Oder so?
Maria jubelte
Josef war glücklich
Das Jesuskindlein wackelte mit den Ohren
Der Ochse lag in der Krippe
Der Esel erglänzte
Der Stern betete
Die himmlischen Heerscharen standen daneben
Die Hirten kamen geritten
Die Heiligen Drei Könige kamen gelaufen
Alle schnauften

Oder etwa so?
Maria betete
Josef stand daneben

Das Jesuskindlein lag in der Krippe
Der Ochse schnaufte
Der Esel wackelte mit den Ohren
Der Stern erglänzte
Die himmlischen Heerscharen jubelten
Die Hirten kamen gelaufen
Die Heiligen Drei Könige kamen geritten
Alle waren glücklich

Ja, so.

Klabund

Weihnacht

Ich bin der Tischler Josef,
Meine Frau, die heißet Marie.
Wir finden kein' Arbeit und Herberg'
Im kalten Winter allhie.

Habens der Herr Wirt vom goldnen Stern
Nicht ein Unterkunft für mein Weib?
Einen halbeten Kreuzer zahlert ich gern,
Zu betten den schwangren Leib. –

Ich hab kein Bett für Bettelleut;
Doch scherts euch nur in den Stall.
Gevatter Ochs und Base Kuh
Werden empfangen euch wohl. –

Wir danken dem Herrn Wirt für seine Gnad
Und für die warme Stub.
Der Himmel lohns euch und unser Kind,
seis Madel oder Bub.

Marie, Marie, was schreist du so sehr? –
Ach Josef, es sein die Wehn.

Bald wirst du den elfenbeinernen Turm,
Das süßeste Wunder sehn. –

Der Josef Hebamme und Bader war
Und hob den lieben Sohn
Aus seiner Mutter dunklem Reich
Auf seinen strohernen Thron.

Da lag er im Stroh. Die Mutter so froh
Sagt Vater Unserm den Dank.
Und Ochs und Esel und Pferd und Hund
Standen fromm dabei.

Aber die Katze sprang auf die Streu
Und wärmte zur Nacht das Kind. –
Davon die Katzen noch heutigen Tags
Maria die liebsten Tiere sind.

THEODOR STORM

Weihnachtslied

Vom Himmel in die tiefsten Klüfte
Ein milder Stern herniederlacht;
Vom Tannenwalde steigen Düfte
Und hauchen durch die Winterlüfte,
Und kerzenhelle wird die Nacht.

Mir ist das Herz so froh erschrocken,
Das ist die liebe Weihnachtszeit!
Ich höre fernher Kirchenglocken
Mich lieblich heimatlich verlocken
In märchenstille Herrlichkeit.

Ein frommer Zauber hält mich wieder,
Anbetend, staunend muß ich stehn;
Es sinkt auf meine Augenlider
Ein goldner Kindertraum hernieder,
Ich fühl's, ein Wunder ist geschehn.

Erich Fried

Haus des Brotes

Der Stern über dem Haus
aber das Dach ist zerfallen

zerfressen
von den Strahlen des Sternes

oder zerbrochen
als man den Stern hinaufschoß

oder spröde geworden
von der Kälte der Nacht

und zersprungen
mit dem Knacken von Knochen

Beth-lehem (hebr.): Haus des Brotes

Heinrich Heine

Die Heilgen Drei Könige aus Morgenland,
Sie frugen in jedem Städtchen:
Wo geht der Weg nach Bethlehem,
Ihr lieben Buben und Mädchen?

Die Jungen und Alten, sie wußten es nicht,
Die Könige zogen weiter;
Sie folgten einem goldenen Stern,
Der leuchtete lieblich und heiter.

Der Stern blieb stehn über Josephs Haus,
Da sind sie hineingegangen;
Das Öchslein brüllte, das Kindlein schrie,
Die Heilgen Drei Könige sangen.

Christine Busta

Der Stern

Nachts erwachen und mit herrlichem Erschrecken
hell im Fenster einen Stern entdecken,
und um ihn die sichre Angst verlassen,
wie Kolumbus nach dem Steuer fassen,
und gehorsam wie aus Morgenland die Weisen
durch die Wüste in die Armut reisen,
und im Stern des Engels Antlitz schauen:
wie ein Hirt zu Bethlehem vertrauen.

Peter Huchel

Die Hirtenstrophe

Wir gingen nachts gen Bethlehem
und suchten über Feld
den schiefen Stall aus Stroh und Lehm,
von Hunden fern umbellt.

Und drängten auf die morsche Schwell
und sahen an das Kind.
Der Schnee trieb durch die Luke hell
und draußen Eis und Wind.

Ein Ochs nur blies die Krippe warm,
der nah der Mutter stand.
Wie war ihr Kleid, ihr Kopftuch arm,
wie mager ihre Hand.

Ein Esel hielt sein Maul ins Heu,
fraß Dorn und Distel sacht.
Er rupfte weich die Krippenstreu,
o bitterkalte Nacht.

Wir hatten nichts als unsern Stock,
kein Schaf, kein eigen Land,
geflickt und fasrig war der Rock,
nachts keine warme Wand.

Wir standen scheu und stummen Munds:
Die Hirten, Kind, sind hier.
Und beteten und wünschten uns
Gerät und Pflug und Stier.

Und standen lang und schluckten Zorn,
weil uns das Kind nicht sah.
Griff nicht das Kind dem Ochs ans Horn
und lag dem Esel nah?

Es brannte ab der Span aus Kien.
Das Kind schrie und schlief ein.
Wir rührten uns, feldein zu ziehn.
Wie waren wir allein!

Daß diese Welt nun besser wird,
so sprach der Mann der Frau,
für Zimmermann und Knecht und Hirt,
das wisse er genau.

Ungläubig hörten wir's – doch gern.
Viel Jammer trug die Welt.
Es schneite stark. Und ohne Stern
ging es durch Busch und Feld.

Gras, Vogel, Lamm und Netz und Hecht,
Gott gab es uns zu Lehn.
Die Erde aufgeteilt gerecht,
wir hätten's gern gesehn.

Kerzenglanz und Tannenbaum

James Krüss

Tannengeflüster

Wenn die ersten Fröste knistern
In dem Wald bei Bayrisch-Moos,
Geht ein Wispern und ein Flüstern
In den Tannenbäumen los,
Ein Gekicher und Gesumm
Ringsherum.

Eine Tanne lernt Gedichte,
Eine Lärche hört ihr zu.
Eine dicke, alte Fichte
Sagt verdrießlich: Gebt doch Ruh!
Kerzenlicht und Weihnachtszeit
Sind noch weit!

Vierundzwanzig lange Tage
Wird gekräuselt und gestutzt
Und das Wäldchen ohne Frage
Wunderhübsch herausgeputzt.
Wer noch fragt: Wieso? Warum?
Der ist dumm.

Was das Flüstern hier bedeutet,
Weiß man selbst im Spatzennest:
Jeder Tannenbaum bereitet
Sich nun vor aufs Weihnachtsfest.
Denn ein Weihnachtsbaum zu sein:
Das ist fein!

Johann Wolfgang Goethe

Christgeschenk

Mein süßes Liebchen! Hier in Schachtelwänden
Gar mannigfalt geformte Süßigkeiten.
Die Früchte sind es heilger Weihnachtszeiten,
Gebackne nur, den Kindern auszuspenden!

Dir möcht ich dann mit süßem Redewenden
Poetisch Zuckerbrot zum Fest bereiten;
Allein was solls mit solchen Eitelkeiten?
Weg den Versuch, mit Schmeichelei zu blenden!

Doch gibt es noch ein Süßes, das vom Innern
Zum Innern spricht, genießbar in der Ferne,
Das kann nur bis zu dir hinüber wehen.

Und fühlst du dann ein freundliches Erinnern,
Als blinkten froh dir wohlbekannte Sterne,
Wirst du die kleinste Gabe nicht verschmähen.

Paula Dehmel

Weihnachtsschnee

Ihr Kinder, sperrt die Näschen auf,
Es riecht nach Weihnachtstorten;
Knecht Ruprecht steht am Himmelsherd
Und bäckt die feinsten Sorten.

Ihr Kinder, sperrt die Augen auf,
Sonst nehmt den Operngucker:
Die große Himmelsbüchse, seht,
Tut Ruprecht ganz voll Zucker.

Er streut – die Kuchen sind schon voll –
Er streut – na, das wird munter:
Er schüttelt die Büchse und streut und streut
Den ganzen Zucker runter.

Ihr Kinder sperrt die Mäulchen auf,
Schnell! Zucker schneit es heute;
Fangt auf, holt Schüsseln – ihr glaubt es nicht?
Ihr seid ungläubige Leute!

Joachim Ringelnatz

Schenken

Schenke groß oder klein,
Aber immer gediegen.
Wenn die Bedachten
Die Gaben wiegen,
Sei dein Gewissen rein.

Schenke herzlich und frei.
Schenke dabei
Was in dir wohnt
An Meinung, Geschmack und Humor,
So daß die eigene Freude zuvor
Dich reichlich belohnt.

Schenke mit Geist ohne List.
Sei eingedenk,
Daß dein Geschenk
Du selber bist.

THEODOR STORM

Knecht Ruprecht

Von drauß' vom Walde komm ich her;
Ich muß euch sagen, es weihnachtet sehr!
Allüberall auf den Tannenspitzen
Sah ich goldene Lichtlein sitzen;
Und droben aus dem Himmelstor
Sah mit großen Augen das Christkind hervor;
Und wie ich so strolcht' durch den finstern Tann,
Da rief's mich mit heller Stimme an:
»Knecht Ruprecht«, rief es, »alter Gesell,
Hebe die Beine und spute dich schnell!
Die Kerzen fangen zu brennen an,
Das Himmelstor ist aufgetan,
Alt' und Junge sollen nun
Von der Jagd des Lebens einmal ruhn;
Und morgen flieg ich hinab zur Erden,
Denn es soll wieder Weihnachten werden!«
Ich sprach: »O lieber Herre Christ,
Meine Reise fast zu Ende ist;
Ich soll nur noch in diese Stadt,
Wo's eitel gute Kinder hat.«
– »Hast denn das Säcklein auch bei dir?«
Ich sprach: »Das Säcklein, das ist hier:

Denn Äpfel, Nuß und Mandelkern
Fressen fromme Kinder gern.«
– »Hast denn die Rute auch bei dir?«
Ich sprach: »Die Rute, die ist hier;
Doch für die Kinder nur, die schlechten,
Die trifft sie auf den Teil, den rechten.«
Christkindlein sprach: »So ist es recht;
So geh mit Gott, mein treuer Knecht!«
Von drauß' vom Walde komm ich her;
Ich muß euch sagen, es weihnachtet sehr!
Nun sprecht, wie ich's hier innen find!
Sind's gute Kind, sind's böse Kind?

Achim von Arnim

Vergolde die Nüsse
Sie bleiben doch hart,
Und esse was süße
Und küsse was zart
Und putze das Bäumchen
Und zünde es an,
Schlaf goldene Träumchen,
Du kindischer Mann.
Heut träum dich in Eisen
Und Liebe getaucht
Und laß dir was weisen
Und wie es verraucht,
Und machs nur wie alle
Und sei nur geschickt,
Tritt auf hoch mit Schalle,
Tritt ab tief gebückt.

Arno Holz

Auf einem Berg aus Zuckerkant

Auf einem Berg aus Zuckerkant,
unter einem blühenden Machandelbaum,
blinkt mein Pfefferkuchenhäuschen.

Seine Fensterchen sind aus Goldpapier,
aus seinem Schornstein raucht Watte.

Im grünen Himmel, über mir, rauscht die
Weihnachtstanne.

In meinem See aus Staniol
spiegeln sich alle ihre Engel, alle ihre Lichter!

Die kleinen Kinder stehn rum
und staunen mich an.

Ich bin der Zwerg Turlitipu.

Mein dicker Bauch ist aus Traganth,
meine Beinchen Streichhölzer,
meine listigen Äugelchen
Korinthen.

Zwölf!

Durch die Gardinen in den Weihnachtsbaum
scheint der Mond.

Alle Engelchen glitzern.

Im weissen Kleidchen schluchzt die Braut,
wir halten Hochzeit.

Katerlieschen ist unsre Grossmama,
unser Grosspapa heisst Rumpelstilzchen.

Eine uralte Familie!

Die ganze Sippschaft,
alle Marzipanschweinchen sind geladen.

Leise,
knisternd,
seinen Segen,
singt der Weihnachtsstern.

Christian Morgenstern

Das Weihnachtsbäumlein

Es war einmal ein Tännelein,
mit braunen Kuchenherzlein
und Glitzergold und Äpflein fein
und vielen bunten Kerzlein:
Das war am Weihnachtsfest so grün,
als fing es eben an zu blühn.

Doch nach nicht gar zu langer Zeit,
da stand's im Garten unten,
und seine ganze Herrlichkeit
war, ach, dahingeschwunden.
Die grünen Nadeln war'n verdorrt,
die Herzlein und die Kerzlein fort.

Bis eines Tags der Gärtner kam,
den fror zu Haus im Dunkeln,
und es in seinen Ofen nahm –
hei! tat's da sprühn und funkeln!
Und flammte heim- und himmelwärts
in hundert Flämmlein an Gottes Herz.

Emily und Fritz Kögel

Der Bratapfel

Kinder, kommt und ratet,
Was im Ofen bratet!
Hört, wies knallt und zischt!
Bald wird er aufgetischt
Der Zipfel, der Zapfel,
Der Kipfel, der Kapfel,
Der gelbrote Apfel.

Kinder, lauft schneller;
Holt einen Teller,
Holt eine Gabel!
Sperrt auf den Schnabel
Für den Zipfel, den Zapfel,
Den Kipfel, den Kapfel,
Den goldbraunen Apfel.

Sie pusten und prusten,
Sie gucken und schlucken,
Sie schnalzen und schmecken,
Sie lecken und schlecken
Den Zipfel, den Zapfel,
Den Kipfel, den Kapfel,
Den knusprigen Apfel.

Heinz Erhardt

Die Weihnachtsgans

Tiefgefroren in der Truhe
liegt die Gans aus Dänemark.
Vorläufig läßt man in Ruhe
sie in ihrem weißen Sarg.

Ohne Bein, Kopf und Gekröse
ruht sie neben dem Spinat.
Ob sie wohl ein wenig böse
ist, daß man sie schlachten tat?

Oder ist es doch zu kalt ihr?
Man sieht's an der Gänsehaut ...
Nun, sie wird bestimmt nicht alt hier:
morgen wird sie aufgetaut.

Hm, welch Duft zieht aus dem Herde
durch die ganze Wohnung dann!
Macht, daß gut der Braten werde,
morgen kommt der Weihnachtsmann!

Karl Henckell

Alter Berliner Weihnachtsmarkt

Laß die Glocke läuten vom Dome,
Keiner hört es im Menschenstrome.
Christmarkt, Waldteufel, Trompeten, juchhei!
Wenig Wolle und viel Geschrei.
Alles besehen, wenig erstehen,
Nur zum Pläsier mal darüber gehen,
Eine Baßgeige sich kaufen wollen,
Mit einer Knarre nach Hause sich trollen, –
Für einen Sechser Schmalzkuchen schmecken,
Mumpitz machen an allen Ecken –
Mag auch der Regen vom Himmel fließen,
Das muß der wahre Berliner genießen,
Schuster und Schneider, Jüngling und Mann,
Jeder, der es sich leisten kann.

Joseph von Eichendorff

Weihnachten

Markt und Straßen stehn verlassen,
Still erleuchtet jedes Haus,
Sinnend geh ich durch die Gassen,
Alles sieht so festlich aus.

An den Fenstern haben Frauen
Buntes Spielzeug fromm geschmückt,
Tausend Kindlein stehn und schauen,
Sind so wunderstill beglückt.

Und ich wandre aus den Mauern
Bis hinaus ins freie Feld,
Hehres Glänzen, heilges Schauern!
Wie so weit und still die Welt!

Sterne hoch die Kreise schlingen,
Aus des Schnees Einsamkeit
Steigts wie wunderbares Singen –
O du gnadenreiche Zeit!

... läuten die Glocken durch die Welt

Christian Morgenstern

Winternacht

Es war einmal eine Glocke,
die machte baum, baum ..
Und es war einmal eine Flocke,
die fiel dazu wie im Traum ..

Die fiel dazu wie im Traum ..
Die sank so leis hernieder,
wie ein Stück Engleingefieder
aus dem silbernen Sternenraum.

Es war einmal eine Glocke,
die machte baum, baum ..
Und dazu fiel eine Flocke,
so leis als wie ein Traum ..

So leis als wie ein Traum ..
Und als vieltausend gefallen leis,
da war die ganze Erde weiß,
als wie von Engleinflaum.

Da war die ganze Erde weiß,
als wie von Engleinflaum.

Robert Walser

Der Weihnachtsbaum

Was kümmert uns die kalte Nacht?
Es strahlt so lieblich in der Stube.
Da steht ein Bäumchen auf dem Tisch,
mit Silber und mit Gold geschmückt,
behängt mit lust'gen Leckereien,
und in den grünen Tannenzweigen
sind Kerzen, und die schimmern nun
beinah' wie Sterne, und nun geht
die Türe auf, es tritt herein
die wißbegier'ge Schar der Kinder,
sacht von den Eltern hergeführt.
Die zeigen und erklären ihnen
des Bäumchens leuchtende Erscheinung.
Sind da die Kinder nicht schier selig?
So was begreift sich ganz von selbst.
So zarte, reine, gute Seelen
sind fähig noch des schönsten Glückes.
Was kommt nun aber gänzlich Neues?
Das Weihnachtskindchen tritt herein,
die Zauberin, die holde Fee,
weiß wie der Schnee und süß wie Zucker
und gnädig wie ein überird'sches
Wesen, als hätt' sie eben noch

im Himmelreich sich aufgehalten
und käm' direkt vom lieben Gott,
und tut den Mund nun auf und spricht:
»Weil ihr das Jahr hindurch so folgsam
und artig und adrett gewesen,
nichts Sündliches begangen habt,
so geb' ich euch nun allerlei
Geschenke.« Damit führt sie sie
hin zu dem Baum und gibt jedwedem
das Seinige und lächelt, und
die Kinder tun es ebenfalls
und danken dann den lieben Eltern
für ihre Treu' und ihre Sorgfalt,
und diese küssen sie, so daß sie
allseitig sich in bestem Sinn
erfreuen und einander gut sind.
Welch heiliges und hohes Fest
und wunderliebliches Empfinden,
und während sie im kleinen Kreis
froh sind und um den Baum herum
die Angehörigkeit verkörpern,
läuten die Glocken durch die Welt,
daß überall, wo Menschen wohnen,
Lieb' und Vertraun lebendig werden.
Schlimm stünd's um uns, wenn solche Dinge
uns nichts bedeuteten, das aber
ist Gott sei Dank noch nicht der Fall. –

Hilde Domin

Tunnel

dem Andenken Virginia Woolfs

Zu dritt
zu viert
ungezählte, einzeln

allein
gehen wir diesen Tunnel entlang
zur Tag- und Nachtgleiche

drei oder vier von uns
sagen die Worte
dies Wort

›Fürchte dich nicht‹
es blüht
hinter uns her.

Wilhelm Busch

Der Stern

Hätt einer auch fast mehr Verstand
Als wie die drei Weisen aus Morgenland
Und ließe sich dünken, er wär wohl nie
Dem Sternlein nachgereist wie sie;
Dennoch, wenn nun das Weihnachtsfest
Seine Lichtlein wonniglich scheinen läßt,
Fällt auch auf sein verständig Gesicht,
Er mag es merken oder nicht,
Ein freundlicher Strahl
Des Wundersternes von dazumal.

Christine Busta

Kleine Dezemberelegie

Seltsamster Freudenmonat im Dickicht
zwischen Erwartung, Enttäuschung, Versagung
meiner Kinderjahre, durch die manchmal
noch ein bimmelnder Pferdeschlitten fuhr.

Dezember, geheimnisvolle Palette
aus Gerüchen, Farben, verwehenden Tönen:
Bratäpfel, heiße Maroni, Nebel,
Wachs und Weihrauch, bitteres Harz.

Morgenschneelicht, irisierender
Kaufbudenflitter und dahinter
das Graugemisch der Hinterhöfe,
die Hungerblässe in ungeheizten
Zimmern und die sternenlose Schwärze
einer fieberdumpfen Heiligen Nacht,
in der unüberhörbar mit dünner Stimme
eine ferne Glocke zu singen begann.

THEODOR STORM

Nachts

Sternenschimmer, Schlummerleuchten
Hat nun rings die Welt umfangen;
Eingewiegt in tiefen Frieden
Schläft der Menschen Hast und Bangen.

Nur die seligen Engel wachen,
Leise durch den Himmel schwebend,
Alle, die hier unten schieden,
An die reinen Herzen hebend.

Und mir ist, als müßt ich einstens
Nach der letzten Not auf Erden
Tief befriedet, kinderselig
So von dir getragen werden.

Theodor Fontane

An Emilie

Gekommen ist der Heil'ge Christ
Die ganze Stadt voll Lichter ist;
Auch unsre sollen brennen.
Die Sorgen weg und zünde an,
Ich will derweil, so gut ich kann,
Dir meine Wünsche nennen.

Empfang zuerst ein Strumpfenband,
Das ich für dreißig Pfengk erstand
Bei Fonrobert im Laden.
Ich wünsche dir, geliebtes Weib,
Bald wieder einen dünnern Leib
Und etwas dick're Waden.

Empfang alsdann ein Kontobuch,
Fürs Credit ist es groß genug,
Fürs Debet etwas kleine.
Indes, es heißt ja: »rund die Welt«,
Der Beutel wird mal wieder Geld
Und hilft uns auf die Beine.

Und drum zuletzt den heißen Wunsch,
Daß unsres Schicksals dicker Flunsch
Bald hübsch'ren Zügen weiche,
Und daß ein bißchen Sonnenschein
Zieh wieder endlich bei uns ein
Und unser Herz beschleiche.

Günter Bruno Fuchs

Gesucht wird
ein freundlicher
Polizist, der die Namen
aller Weihnachtsmänner
übernimmt,

so daß
den Kindern
gesagt werden kann: Freut euch,
morgen kommt der
Weihnachtspolizist!

Er packt
seine Geschenke aus, er setzt
die Gefangenen
unter den Tannenbaum, er
lächelt
ganz diebisch,
wie still
ihre Sünden
sich wegstehlen
nach
draußen
und müde werden
im Schnee.

Johann Wolfgang Goethe

Weihnachten

Bäume leuchtend, Bäume blendend,
Überall das Süße spendend,
In dem Glanze sich bewegend,
Alt und junges Herz erregend –
Solch ein Fest ist uns bescheret,
Mancher Gaben Schmuck verehret;

Staunend schaun wir auf und nieder,
Hin und her und immer wieder.

Aber, Fürst, wenn dir's begegnet
Und ein Abend so dich segnet,
Daß als Lichter, daß als Flammen
Vor dir glänzten allzusammen
Alles, was du ausgerichtet,
Alle, die sich dir verpflichtet:
Mit erhöhten Geistesblicken
Fühltest herrliches Entzücken.

Rainer Maria Rilke

Es gibt so wunderweiße Nächte,
drin alle Dinge Silber sind.
Da schimmert mancher Stern so lind,
als ob er fromme Hirten brächte
zu einem neuen Jesuskind.

Weit wie mit dichtem Demantstaube
bestreut, erscheinen Flur und Flut,
und in die Herzen, traumgemut,
steigt ein kapellenloser Glaube,
der leise seine Wunder tut.

Paul Fleming

Neue-Jahrs-Ode

1633

Kan es seyn / so gib uns Rast /
der du alles kanst und hast.
Frieden-Fůrst bist du genant /
bring du uns in Frieden-stand.

Und ihr Feinde gebt es zu /
setzet euch mit uns in Ruh /
daß wir bey der letzten Zeit
stehn in sichrer Einigkeit.

Dencket daß der Friede nehrt /
dencket daß der Krieg verzehrt /
dencket daß man doch nichts kriegt /
ob man schon auch lange siegt.

Stelle deine Schlachten ein /
Mars / und lerne milder seyn /
Thu die Waffen ab und sprich:
hin Schwerdt was beschwerst du mich.

Dieser Helm wird nůtze seyn /
daß die Schwalben nisten drein /
daß man / wann der Frůhling kômmt /
junge Vôgel da vernimmt.

Und der prachen Erden Bauch
darff der Spieß und Degen auch /
doch / daß sie sehn anders aus /
Pflug und Spaden werden drauß.

Tritt / was schådlich ist / bey seit /
hin verdamte Pest und Streit /
weg ihr Sorgen / weg Gefahr /
itzund komt ein neues Jahr.

Jochen Arlt (geb. 1948):
Vierter Advent. Originalbeitrag. Mit freundlicher Genehmigung des Autors.

Achim von Arnim (1781–1831):
Vergolde die Nüsse. In: A. v. A.: Werke. Bd. 5: Gedichte. Hrsg. von Ulfert Ricklefs. Frankfurt a. M.: Deutscher Klassiker Verlag, 1994. S. 669.

H[ans] C[arl] Artmann (1921–2000):
wenn im öflein s feuer kracht. In: H. C. A.: allerleirausch. neue schöne kinderreime. böse formeln. ein büchlein. zaubersprüchlein. Berlin: Rainer; München/Salzburg: Renner, 1993. S. 15. – © 1993 Verlag Klaus G. Renner, München und Salzburg. Mit freundlicher Genehmigung von Rosa Artmann, Wien.

Elisabeth Borchers (geb. 1926):
Märchen. In: E. B.: Was ist die Antwort. Gedichte. Frankfurt a. M.: Suhrkamp, 1998. S. 34. – © 1998 Suhrkamp Verlag, Frankfurt a. M.

Christine Busta
(d. i. Christine Dimt, 1915–87):

Der Stern. In: Ch. B.: Die Scheune der Vögel. Gedichte. Salzburg: Otto Müller, 1958. S. 100. – © 1995 Otto Müller Verlag, Salzburg, 3. Auflage.

Kleine Dezemberelegie. In: Ch. B.: Der Atem des Wortes. Salzburg: Otto Müller, 1995. S. 83. – © 1995 Otto Müller Verlag, Salzburg, 2. Auflage.

Wilhelm Busch (1832–1908):

Der Stern. In: W. B.: Hist.-krit. Gesamtausgabe. Bd. 4. Wiesbaden/Berlin: Vollmer, [o. J.] S. 394.

Matthias Claudius (1740–1815):

Ein Lied hinterm Ofen zu singen. In: M. C.: Ausgewählte Werke. Hrsg. von Walter Münz. Stuttgart: Reclam, 1990. (Universal-Bibliothek. 1691.) S. 149 f.

Paula Dehmel (1862–1918):

Weihnachtsschnee. In: P. D.: Das liebe Nest. Gesammelte Kindergedichte. Hrsg. von Richard Dehmel mit Zeichn. von Hans Thoma. Leipzig: Seemann, 1919. S. 77 f.

Hilde Domin (geb. 1909):

Tunnel. In: Gesammelte Gedichte. Frankfurt a. M.: S. Fischer, 1987. S. 291. – © 1987 S. Fischer Verlag GmbH, Frankfurt a. M.

Joseph von Eichendorff (1788–1857):

Weihnachten. In: J. v. E.: Gedichte. Eine Auswahl. Stuttgart: Reclam, 1957 [u. ö.] (Universal-Bibliothek. 7925.) S. 133.

Heinz Erhardt (1909–79):

Die Weihnachtsgans. In: Das große Heinz Erhardt Buch. München: Goldmann, [11]1986. S. 71. – © 1970 Lappan Verlag GmbH, Oldenburg.

Paul Fleming (1609–40):

Neue-Jahrs-Ode. In: P. F.: Deutsche Gedichte. Hrsg. von Volker Meid. Stuttgart: Reclam, 1986. (Universal-Bibliothek. 2455) S. 51–54. Str. 16–22.

Theodor Fontane (1819–98):

Noch ist Herbst nicht ganz entflohn. In: Th. F.: Werke, Schriften und Briefe. Bd. 6. München: Hanser, [2]1978. S. 809 f.

An Emilie. In: Th. F.: Sämtliche Werke. Romane, Erzählungen, Gedichte. Hrsg. von Walter Keitel. Bd. 6. München/Wien: Hanser, 1964. S. 409.

Erich Fried (1921–88):
Haus des Brotes. In: E. F.: Warngedichte. München/Wien: Hanser, 1979. S. 103. – © 1964 Carl Hanser Verlag GmbH, München und Wien.

Günter Bruno Fuchs (1928–77):
Gesucht wird. In: G. B. F.: Gemütlich summt das Vaterland. Gedichte, Märchen, Sprüche. Zsgest. von Michael Krüger. München/Wien: Hanser, 1984. S. 25. [Aus: Polizisten-Steckbriefe.] – © 1984 Carl Hanser Verlag, München und Wien.

Johann Wolfgang Goethe (1749–1832):
Christgeschenk · Weihnachten. In: J. W. G.: Gedenkausgabe der Werke, Briefe und Gespräche. Hrsg. von Ernst Beutler [u. A.]. Bd. 1: Sämtliche Gedichte. Tl. 1: Die Gedichte der Ausgabe letzter Hand. Hrsg. von Emil Staiger. Zürich: Artemis, ^{2}1961. S. 274 f., 674.

Heinrich Heine (1797–1856):

Draußen ziehen weiße Flocken. In: H.H.: Sämtliche Gedichte. Stuttgart: Reclam, 1990 [u.ö.]. S. 261f.

Die Heilgen Drei Könige aus Morgenland. In: H.H.: Buch der Lieder. Stuttgart: Reclam, 1990 [u.ö.] (Universal-Bibliothek. 2231.) S. 136.

Karl Henkell (1864–1929):

Alter Berliner Weihnachtsmarkt. In: K.H.: Gesammelte Werke Bd. 1. München: J. Michael Müller, 1921. S. 11.

Friedrich Hölderlin (1770–1843):

Der Winter. In: F.H.: Sämtliche Werke und Briefe. Hrsg. von Günther Mieth. Bd. 1: Gedichte. Berlin: Aufbau, 1970 [u.ö.]. S. 555f.

August Heinrich Hoffmann von Fallersleben (1798–1874):

Der Schneemann. In: A.H.H. v. F.: Ausgewählte Werke in vier Bänden. Hrsg. und mit Einl. vers. von Hans Benzmann. Bd. 1: Einleitung des Herausgebers. Lyrische Gedichte. Leipzig: Hesse, [1905]. S. 209.

Franz Hohler (geb. 1943):

Weihnachten – wie es wirklich war. In: F. H. / Nikolaus Heidelbach: Der Riese und die Erdbeerkonfitüre. München: dtv, 2000. S. 74–76. – Mit freundlicher Genehmigung des Autors.

Arno Holz (1863–1929):

Auf einem Berg aus Zuckerkant. In: A. H.: Phantasus. Hrsg. von Gerhard Schulz. Stuttgart: Reclam, 1984. (Universal-Bibliothek. 8549.) S. 102.

Peter Huchel (1903–81):

Die Hirtenstrophe. In: P. H.: Die Sternenreuse. Gedichte 1925–1947. München: Piper, 1967. S. 33 f. – © Roger Melis.

Mascha Kaléko (1912–75):

Advent. In: M. K.: Wie's auf dem Mond zugeht. Ill. von Rolf Köhler. Sigmaringen: Thorbecke, 1982. S. 11. – © 1982 Jan Thorbecke Verlag, Sigmaringen.

Klabund (d. i. Alfred Henschke, 1890–1928):

Weihnacht. In: K.: Die Harfenjule. Berlin: Eulenspiegel-Verlag, 1928. S. 137 f.

Heidi Koch (geb. 1946):

Die Nacht. In: Jürgen Schwarz (Hrsg.): Es geht der Stern von Bethlehem mir nah. Geschichten für die Advents- und Weihnachtszeit. Eschbach/Markgräflerland: Verlag am Eschbach, 2002. S. 17. – Mit freundlicher Genehmigung von Heidi Koch.

Emily und Fritz Kögel
(Lebensdaten unbekannt / 1860–1904):

Der Bratapfel. In: E. und F. K.: Die Arche Noah. Leipzig: Teubner, 1901. S. 28.

James Krüss (1926–97):

Tannengeflüster. In: J. K.: Der wohltemperierte Leierkasten. Überarb. Neuausg. München: C. Bertelsmann, 1989. S. 103. – © James Krüss, 2001, Der wohltemperierte Leierkasten, erschienen im C. Bertelsmann Jugendbuch Verlag, München, einem Unternehmen der Verlagsgruppe Random House GmbH.

Eduard Mörike (1804–75):

Die heilige Nacht. In: E. M.: Sämtliche Werke. München: Hanser, [5]1976. S. 269.

Christian Morgenstern (1871–1914):

Die drei Spatzen · Winternacht. In: Ch. M.: Sämtliche Dichtungen II. Bd. 16: Kindergedichte: Klein Irmchen. Klaus Burrmann, der Tierweltphotograph. Neuherausgabe und Nachw. von H. O. Proskauer. Basel: Zbinden, 1978. S. 56, 52.

Das Weihnachtsbäumlein. In: Ch. M.: Werke und Briefe. Komm. Ausg. Bd. 3. Stuttgart: Urachhaus, 1990. S. 500.

Rainer Maria Rilke (1875–1926):

Es gibt so wunderweiße Nächte. In: R. M. R.: Sämtliche Werke. Erster Band. Frankfurt a. M.: Insel, 1955. S. 84 f.

Joachim Ringelnatz
(d. i. Hans Bötticher, 1883–1934):

Vorfreude auf Weinachten · Schenken. In: J. R.: und auf einmal steht es neben dir. Gesammelte Gedichte. Berlin: Henssel, 1950. S. 476, 211 f.

Friedrich Spee (1591–1635):

Ein kurtzes Poëtisch Christgesang. In: F. S.: Trvtz-Nachtigal. Krit. Ausgabe. Nach der Trierer Handschrift. Hrsg. von Theo G. M. van

Ootschot. Stuttgart: Reclam, 1985. (Universal-Bibliothek. 2596.) S. 189 f.

Theodor Storm (1817–88):

Weihnachtslied. In: Th. St.: Sämtliche Werke. Bd. 5. Berlin: Ullstein, 1924. S. 410.

Knecht Ruprecht. In: Th. St.: Gedichte. Stuttgart: Reclam, 1978 [u. ö.]. (Universal-Bibliothek. 6080.) S. 62 f.

Nachts. In: Th. St.: Werke. Erster Band: Gedichte, Märchen und unheimliche Geschichten, Novellen. Hrsg. von Gottfried Honnefelder. Frankfurt a. M.: Insel, 1975. S. 169 f.

Ludwig Thoma (1867–1921):

Heilige Nacht. In: L. Th.: Gesammelte Werke. Bd. 8. München: Piper, 1956. S. 17 f.

Ludwig Tieck (1773–1853):

Weihnachten. In: L. T.: Werke. Gedichte. Dritter Teil. Dresden: P. G. Hilscher, 1823. S. 196.

Georg Trakl (1887–1914):

Ein Winterabend. In: G. T.: Werke. Entwürfe. Briefe. Hrsg. von Hans-Georg Kemper und Frank Rainer Max. Nachw. und Bibliogr. von

Hans-Georg Kemper. Stuttgart: Reclam, 1984 [u. ö.]. (Universal-Bibliothek. 8251.) S. 67.

ROBERT WALSER (1878–1956):

Der Weihnachtsbaum. In: R. W.: Das Gesamtwerk. Bd. 7. Frankfurt a. M.: Suhrkamp, 1978. S. 171ff. – © Suhrkamp Verlag, Frankfurt a. M. / Zürich. Mit Genehmigung der Inhaberin der Rechte, der Carl Seelig-Stiftung, Zürich.

Inhalt

Draußen ziehen weiße Flocken

Ein Wunder ist geschehn

Kerzenglanz und Tannenbaum

... läuten die Glocken durch die Welt

1. Auflage, 2005
Umschlaggestaltung: Simin Bazargani
unter Verwendung eines Motivs von
Giambattista Pittoni
Gesetzt aus Rotis serif
Satz: Reclam, Ditzingen
Druck und Bindung: Oldenbourg Taschenbuch
ISBN 3-379-00864-8

www.reclam.de